Pinocchio

Adaptation par Mario Pépin

FRANCE LOISIRS
123, boulevard de Grenelle, Paris

Edition du Club France Loisirs, Paris,
avec l'autorisation des Editions Nathan.
Edité par les Editions Nathan (Paris), 1988.

Le rêve de Geppetto

Par une nuit d'été, Jiminy Criquet traverse
un village endormi, qui ne figure sur aucune
carte. Jiminy est un éternel voyageur.
Vêtu d'un vieux smoking rapiécé, il sautille,
guilleret, de pavé en pavé.
Tout à coup, il aperçoit une fenêtre éclairée :
— Tiens, voilà un foyer accueillant !
Et hop ! il se glisse dans la maison !

— Oh ! Des jouets !
Des automates à
musique !
Jiminy admire les
œuvres de
Geppetto, le vieux
sculpteur sur bois
du village.
— C'est fabuleux !

Tout à coup,
merveille des
merveilles, il
aperçoit un pantin
posé sur l'établi :
— Ça alors ! Oh !
C'est vraiment le
plus beau jouet que
j'ai jamais vu !

A cet instant, Geppetto entre dans l'atelier, un pinceau à la main.

Jiminy écarquille les yeux...

Figaro, le chat, d'un grâcieux patte à patte, grimpe sur l'établi et s'assoit face à son maître. Imperturbable, Cléo le poisson continue à faire des ronds dans l'eau.

En trois coups de pinceau, un sourire apparaît sur la bouche du pantin et ses yeux sont réhaussés de sourcils.

— Oh ! Quel regard tu as, maintenant ! Il va falloir te donner un nom ! Dis, Figaro, si nous l'appelions Pinocchio ?

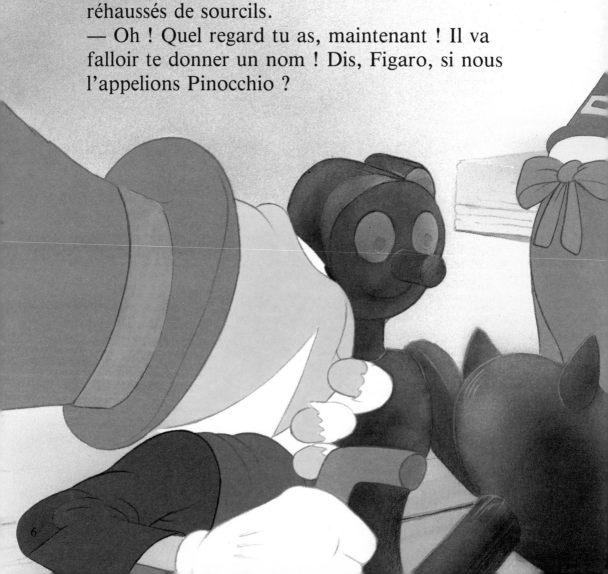

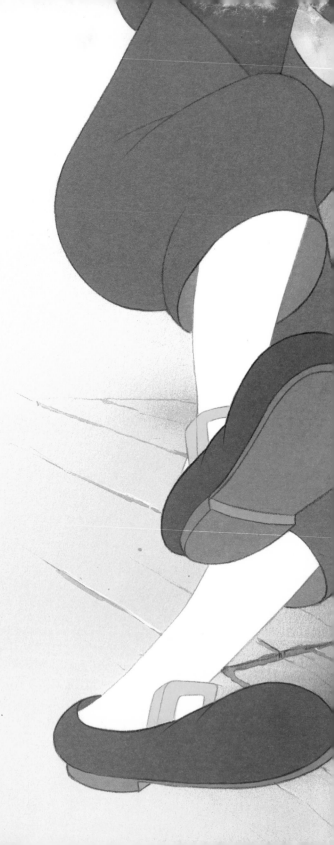

Pour fêter ça,
Geppetto met en
marche ses boîtes
à musique et fait
danser Pinocchio au
bout de ses ficelles.
Le pantin est souple
comme un roseau.
Jiminy est
stupéfait !
« Pour un peu, se
dit-il, on croirait un
vrai petit garçon ! »
Essoufflé d'avoir
tant dansé,
Geppetto se laisse
tomber dans un
fauteuil :
— Et maintenant,
au lit, mon petit !

Comme chaque soir avant de s'endormir,
Geppetto fait un vœu, toujours le même :
— Ma bonne étoile, dit-il, en regardant le ciel
par la fenêtre, faites qu'un jour j'aie un fils,
gentil comme mon petit Pinocchio !
Sur ces mots, il s'endort à côté de Figaro.
Il rêve d'un petit garçon et sourit béatement
dans son sommeil...

Tandis que
Geppetto et Figaro
ronflent comme des
locomotives, une
étoile, parmi des
milliers d'autres, se
met à briller dans le
ciel. Soudain, elle
file devant la
fenêtre...
Pffuit ! Un léger
bruissement d'ailes
se fait entendre, la
fenêtre s'illumine...
la Fée Bleue
apparaît, souriante,
dans la chambre,
et s'avance vers
Pinocchio.
Jiminy se lève en
sursaut :
— Mais je rêve !

Il n'en croit pas ses yeux...
La Fée Bleue contemple le petit pantin
en hochant doucement la tête :
— Ainsi, c'est toi qui fait rêver le vieux
Geppetto ?
Jiminy, tapi dans un coin, retient son souffle.
Il voit la fée frôler Pinocchio du bout de sa
baguette...
— Eveille-toi à la vie, gentille marionnette !

Et alors, le miracle se produit. Pinocchio ouvre les yeux, s'étire et balbutie :

— Oh là là !.. Je peux voir... et parler !

— Mais oui, bien sûr, et tu peux aussi marcher, danser, jouer ! ajoute la fée.

— Marcher, danser, jouer ? Youpi !

La fée réfléchit et murmure :

— Mmm ! Bon, ça n'est pas tout... Il faut penser, aussi. Tu as besoin d'une conscience !

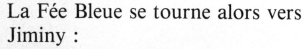

La Fée Bleue se tourne alors vers
Jiminy :
— Tu as beaucoup voyagé, toi !
Tu dois savoir une foule de
choses ! Veux-tu être la conscience
de Pinocchio ?
— Oh oui, oui ! Bien sûr ! répond
le criquet, très flatté.
Alors, d'un coup de baguette,
la Fée change ses haillons
en costume de fête !

— Oh, merci ! Vous savez, je serai une
conscience très vigilante ! Vous pouvez
me faire confiance ! s'exclame Jiminy.
Mais la Fée a déjà disparu !

Pinocchio et Jiminy se regardent, ravis.
Ils dansent, mais… Boum ! Patatras !
Pinocchio est encore maladroit !
— Attention ! lui crie sa conscience. Tu vas
te faire mal, tête de bois ! Regarde-moi, je vais
te montrer !
— Allons-y ! Je te suis !
Un pied devant l'autre, une jambe après
l'autre… Au début, ils marchent prudemment,
puis ils dansent à nouveau, au rythme des
boîtes à musique.

Réveillé par ce joyeux tintamarre, Geppetto
bougonne en se retournant dans son lit :
— Humm ! Qu'est-ce que c'est encore ?
Mais quand ses yeux sont bien ouverts, hop !
d'un bond, il saute sur ses pieds.
— Oh ! C'est magnifique ! Je ne rêve pas ! La
Fée Bleue m'a exaucé ! Viens, mon Pinocchio,
mon petit garçon ! mon trésor !
Ils s'embrassent, ils se câlinent, en riant
comme des fous !
— Mon garçon, je vais te présenter aux amis
de la maison ! dit Geppetto.

Fier comme tout, il s'avance vers Figaro et
Cléo en tenant Pinocchio par l'épaule.
Miaou ! Figaro se met debout sur ses pattes
arrière et Cléo joue au poisson volant pour
dire bonjour à Pinocchio.
— Et maintenant, au lit tout le monde !
Demain sera un grand jour !

Sur le chemin de l'école

Au réveil, Geppetto dit à Pinocchio :
— Aujourd'hui, tu vas aller à l'école.
— Ah bon ? Et qu'est-ce que c'est ?
— C'est un endroit très intéressant
où l'on apprend à lire des histoires
avec tous les autres enfants.

Geppetto aimerait garder encore Pinocchio
à la maison, mais Jiminy a insisté.
— La Fée Bleue veut qu'il soit un enfant
modèle ! a-t-il dit d'un air sérieux.
— Bon, bon, d'accord...
Geppetto lui a donné une pomme pour son
goûter et des livres. Pinocchio prend le chemin
de l'école en sifflotant. Il découvre avec
émerveillement les rues, les maisons et les gens
du village...

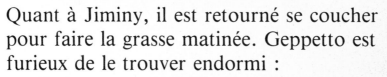

Quant à Jiminy, il est retourné se coucher
pour faire la grasse matinée. Geppetto est
furieux de le trouver endormi :
— Jiminy, vous n'avez pas honte ? Vous,
la conscience de cet innocent, vous le laissez
partir tout seul à l'école ?
Penaud, Jiminy se lève et bondit dans la rue
en appelant Pinocchio. Mais avec ses petites
pattes, il ne peut le rattraper !

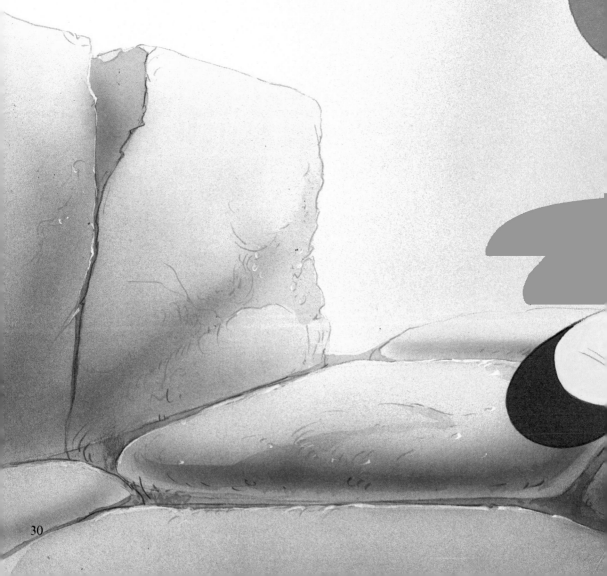

Pinocchio traverse
le village, tout fier,
quand Gédéon, le
chat, et Grand
Coquin, le renard,
l'aperçoivent...
— Vise un peu ce
gamin ! s'exclame
Grand Coquin.
Aïe, aïe, aïe !
Que manigancent
ces deux voyous ?

— Tu vois ce que je vois ? murmure Grand
Coquin. Un enfant en bois !

— Un pantin qui marche sans ficelles ! C'est
incroyable ! souffle Gédéon.

— Le théâtre de marionnettes de Stromboli
l'achèterait à prix d'or !

— Attrapons-le, c'est l'affaire du siècle !

Quand Pinocchio passe près d'eux, Grand
Coquin lui fait discrètement un croche-pied
avec sa canne : Boum !
— Oh ! Pauvre jeune homme ! miaule
Gédéon. Et où va-t-on comme ça ?
— A l'école, répond innocemment Pinocchio.
— A l'école ? Ah, ah ! Elle est bien bonne !

— A l'école ? répète-t-il. Mais voyons, mon cher, c'est ridicule ! Ta place est dans un grand théâtre ! Tu attirerais les foules !

— Grand Coquin est un grand impresario. Ecoute-le, conseille Gédéon, et tu seras une star !

— Une star ? Moi ?

— Mais bien sûr ! Tu es cent fois plus intéressant qu'un vrai petit garçon !

— Ooooh ! C'est vrai ?

Grisé par ces flatteries, Pinocchio oublie l'école, et ses promesses...

— Après tout, dit-il, j'irai demain !

— Bravo ! s'écrie
Grand Coquin.
Suis-nous et tu
auras ton nom
partout ! Comment
t'appelles-tu ?
— Pinocchio…
— Magnifique !
— Splendide !
— Un nom
d'artiste !
— Qui brillera
en lettres d'or
au fronton
des théâtres !
Pinocchio, étourdi
par ces discours,
n'entend pas une
petite voix qui crie
derrière lui…
C'est Jiminy :
— Attends-moi !
Pinocchio, oh !

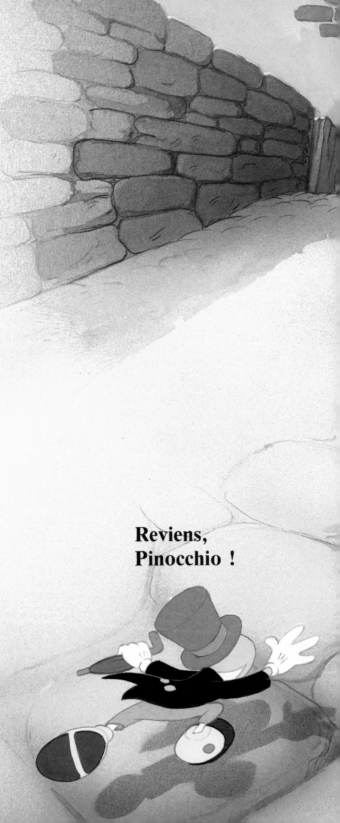

**Reviens,
Pinocchio !**

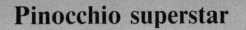

Pinocchio superstar

Enfin, Jiminy rejoint Pinocchio ! Mais Grand
Coquin et Gédéon ont déjà vendu le pantin
au montreur de marionnettes...
— Pinocchio ! Que fais-tu ? Reviens ici !
— Mais... Jiminy... je suis engagé au théâtre !
— Engagé ? C'est envers moi que tu es
engagé, tête de bois !
— Mais je reviendrai, et tu seras fier !

Les yeux de
Stromboli brillent
de convoitise :
— Hé, hé ! Je vais
monter un numéro
juste pour toi, mon
trésor !

45

Le soir même, Pinocchio donne sa première
représentation sous un tonnerre
d'applaudissements. Il danse avec une jolie
marionnette, animée par des fils... Puis, il
exécute tout seul des sauts acrobatiques, fait
des galipettes en chantant, fou de joie...
Le public enthousiaste le couvre de pièces d'or.
Stromboli n'en revient pas !

Mais pendant ce temps, Geppetto est
malade d'inquiétude et de chagrin...
Depuis la disparition de Pinocchio, il ne
mange plus, il ne dort plus... Il reste des
heures à tourner en rond dans son
atelier. Cléo fait et refait cent fois des
ronds tristes dans l'aquarium. Figaro
essaye de câliner Geppetto :
— Miaou... miaou !
— Oh, mon Figaro ! Je chercherai
Pinocchio au bout du monde !
Il enfile un vieux manteau, saisit sa
lanterne et le voilà parti dans la nuit,
en criant :
— Pinocchio ! Pinocchio !...

Cependant, dans la
roulotte de Stromboli…
— Ah, ah ! En cage,
pantin !
— Mais je dois rentrer
chez mon papa !
Je veux lui ramener
l'argent que j'ai gagné !
Il sera si content !
S'il vous plaît,
Monsieur Stromboli !
— Pauvre naïf ! Tu
crois que je vais laisser
filer une mine d'or
comme toi ? Allez,
zou ! Dans ta cage !
Et crac ! En deux tours
de clef, Pinocchio se
retrouve prisonnier…

Pinocchio crie et
pleure, mais rien n'y
fait... Le cœur serré,
il pense à Geppetto,
à Figaro, à Cléo...
— Hou ! Je ne les
verrai plus jamais !
Je ne suis qu'une
marionnette de cirque !
J'ai perdu ma conscience !
A ce moment, il entend
un petit bruit près de
lui. Un chapeau haut-
de-forme surgit :
c'est Jiminy !
— Ouf, te voilà ! Mais
comment vais-je te tirer
de là ?

A cet instant, la Fée Bleue apparaît,
précédée d'une lumière éblouissante.
— Alors, Pinocchio, comment as-tu fait
pour en arriver là ?
— Oh ! Madame la Fée, j'ai été enlevé
par un monstre horrible, avec des yeux
gros comme ça...

— Ah oui ? continue la Fée. Et l'école,
ça t'a plu ?
— Oh ! oui. Beaucoup… Heu… je…
— Allons, ne sois pas timide, raconte…
— Eh ben… Il y avait des marionnettes !
La Fée pouffe de rire, mais Jiminy se fâche :
— Mais arrête ! Arrête tes mensonges et
regarde ton nez, espèce de tête de bois !

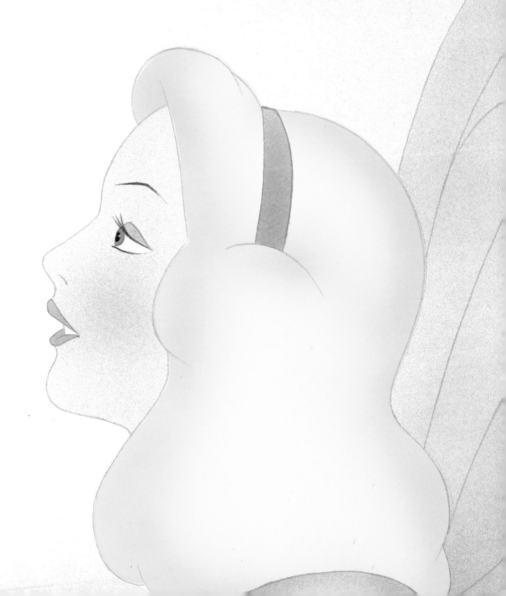

Pinocchio, un peu étonné, regarde son nez.
Aïe, aïe, aïe ! Mais ce n'est plus un nez ! C'est
un perchoir pour les moineaux ! Et à chaque
mensonge, il continue de pousser ! Voilà même
des feuilles !...
— Hou, hou, hou ! Qu'est-ce qui m'arrive ?

— Hou ! Pardon !
Pardon ! J'avoue
tout ! Je ne le ferai
plus !
— Et toi, dit la Fée
à Jiminy, tu ne
pourrais pas faire
un peu plus
attention ?
— Oui... oui !
Je promets aussi !
Jiminy et Pinocchio
sont tout penauds et
leur mine attendrit
la Fée. Pfuit ! D'un
coup de baguette, le
nez de Pinocchio
retrouve sa taille et
la cage s'ouvre...
— Youpi !

— Allez vite ! On prend tout de suite le droit
chemin et on rentre à la maison ! dit Jiminy.
Hop ! hop ! Les voilà à travers champs,
sautillant dans les herbes...
— C'est loin, dis ? demande Pinocchio.
— Mais non ! mais non... allez, courage !

L'île des Plaisirs

Mais sur leur chemin, à l'Auberge de l'Ecrevisse, Grand Coquin et Gédéon parlent avec un inquiétant cocher.
Hélas ! Cet homme est très connu : il emmène vers une île mystérieuse les enfants mal élevés. Il leur promet monts et merveilles... mais aucun n'est jamais revenu...

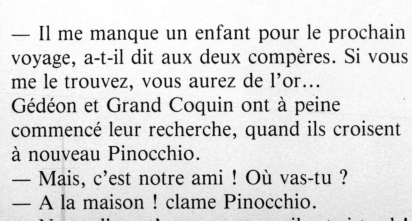

— Il me manque un enfant pour le prochain voyage, a-t-il dit aux deux compères. Si vous me le trouvez, vous aurez de l'or...
Gédéon et Grand Coquin ont à peine commencé leur recherche, quand ils croisent à nouveau Pinocchio.
— Mais, c'est notre ami ! Où vas-tu ?
— A la maison ! clame Pinocchio.
— Nous allons t'accompagner, il est si tard !
Ils font quelques enjambées et voilà Jiminy semé... une fois de plus !

— Connais-tu l'île des
Plaisirs ? demande
Grand Coquin.
— Non, dit Pinocchio.
— Comment ? Mais
c'est le paradis des
enfants ! On y joue
tout le temps !
— Ah, oui ?
— Viens avec nous,
une charrette y part
ce matin.

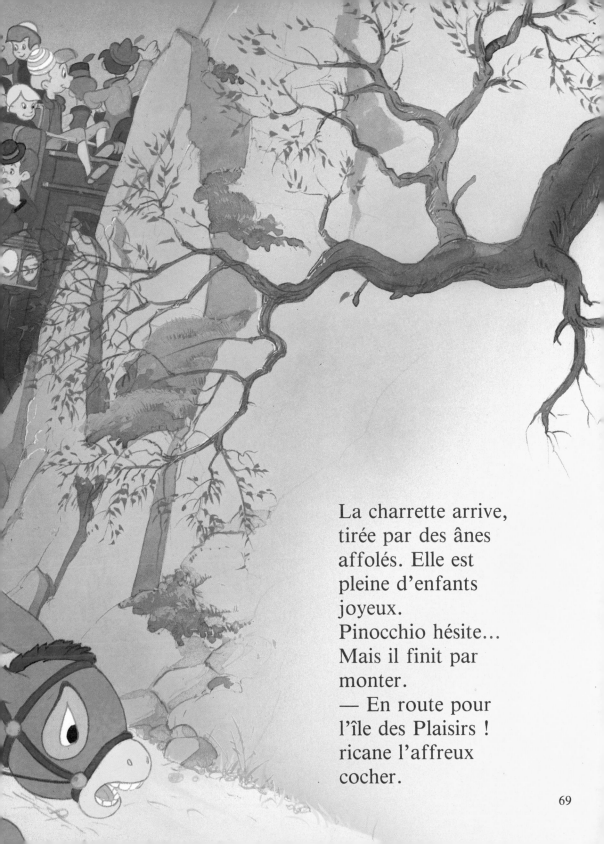

La charrette arrive,
tirée par des ânes
affolés. Elle est
pleine d'enfants
joyeux.
Pinocchio hésite...
Mais il finit par
monter.
— En route pour
l'île des Plaisirs !
ricane l'affreux
cocher.

Mais au moment du départ,
Jiminy arrive ventre à terre.
Il parvient à s'accrocher à
la charrette. Il est tout secoué,
il a mal au cœur :
— Quelle histoire ! Où allons-
nous encore ?
Quand la charrette s'arrête
enfin, c'est pour embarquer
sur un bateau !
— C'est bien ma chance !
Avec mon mal de mer !

71

A peine arrivé sur l'île des Plaisirs,
Pinocchio s'est déjà fait un ami :
Crapule, un garçon très déluré…
Ensemble, ils courent de jeu en
jeu…

— Hé, Pinok ! crie Crapule en
montrant des cigares. Chiche
qu'on fume !

— Pouah ! fait Pinocchio.
Ah, non, pas moi !

Pinocchio préfère les friandises, et ici ça
ne manque pas : des montagnes de sucettes,
de sandwichs, de gâteaux, de saucisson...
sont à leur disposition !
— Génial ! On va pouvoir se faire un beurre-
fraise-cornichons ! s'exclame Crapule.
— C'est bon ? demande Pinocchio, surpris.
— Fa-bu-leux ! En plus, à la maison, je n'y ai
jamais droit. Bouge pas, je vais te chercher un
salami-pistache !

Mais non loin de là, Jiminy découvre un spectacle inquiétant : l'affreux cocher fait venir ses gardes, et ils emportent les enfants !
— Fini de rire, hurle-t-il. Ces ânes vont aller tirer des chariots au fond de mes mines de sel ! Et en effet, les enfants ressemblent de plus en plus à des ânes !

— Oh, mon Dieu, il faut sauver Pinocchio !
Vite, Jiminy part à sa recherche. Partout, il
croise des enfants dont les oreilles poussent.
Quand ils veulent crier, ils se mettent à
braire...
— Ma-man ! Hi-man ! Hi-han !
Jiminy aperçoit enfin Pinocchio : Ouf !
Il est encore intact !
— Pinocchio, oh ! Tu es en danger !

— Ecoutez-moi !
Jiminy s'égosille pour
prévenir les enfants.
— De l'air, sauterelle !
crie Crapule.
— Anes bâtés !

— Mais Jiminy,
ne te fâche pas !
— Dégage, sauterelle !
répète Crapule.
— Idiots ! Vous allez
devenir des ânes !

Jiminy leur raconte ce qu'il a vu.
— Elle est folle, ta bestiole ! dit Crapule.
— Mais c'est ma conscience, quand même !...
Crapule pouffe de rire :
— Un insecte ! Je n'en crois pas mes oreilles !
Pourtant, ce sont de grandes oreilles, qui n'arrêtent pas de s'allonger, et qui se couvrent de grands poils...

— Ma-man ! Mi-han ! Hi-han !
Crapule essaie de se débattre : déjà il saute
à quatre pattes et retombe sur des sabots !
— Jiminy, au secours ! crie Pinocchio.
Ma tête me gratte ! C'est quoi ?
— Deux oreilles d'âne ! Et voilà la queue
qui pousse ! Allez ! Maintenant, tu me suis !
Il faut vite quitter cette île maudite !

Vite ! Ils traversent à toutes jambes la fête abandonnée. La nuit est tombée. Il y a des vieux bonbons, des papiers gras, des débris partout... Les glaces ont fondu sur le sol... Brrr ! Plutôt sinistre, tout ça !
— Dépêche-toi, Pinocchio !
— Jiminy ! J'ai mal au cœur ! J'ai peur !

Dans le ventre de la baleine

Ils arrivent au bord de la mer : sauvés !
— Mais il n'y a pas de bateau ! gémit
Pinocchio.
— Eh bien, nous nagerons ! D'ailleurs,
tu flottes puisque tu es en bois !
Et de toute façon, c'est ça ou la mine de sel !
Il n'y a plus à discuter : il faut plonger !

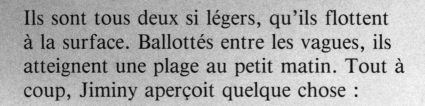

Ils sont tous deux si légers, qu'ils flottent
à la surface. Ballottés entre les vagues, ils
atteignent une plage au petit matin. Tout à
coup, Jiminy aperçoit quelque chose :

— Regarde Pinocchio ! Une bouteille !
Voyons s'il y a un message...

Hélas, il y en a bien un :

Pinocchio chéri,
Je suis parti te chercher sur l'île des Plaisirs,
mais la baleine Monstro s'apprête à m'avaler.
Adieu mon fils. Ton papa qui t'aime.
Geppetto.

Pinocchio fond en larmes :
— Tout est de ma faute !
— Non ! dit Jiminy. C'est moi, le coupable !
— Je sauverai mon papa ! Je vais descendre
chercher Monstro au fond de la mer...

Pour ne pas flotter,
Pinocchio s'est
accroché une grosse
pierre autour de la
taille. Il coule, et
Jiminy le suit.
Des poissons
s'approchent,
étonnés. Mais
soudain, terrifiés,
ils s'enfuient :
la baleine n'est pas
loin. Pinocchio et
Jiminy s'avancent
vers le monstre...

Pendant ce temps, à
l'intérieur de la baleine,
dans son estomac
immense et vide, tout
au fond, on peut voir
Geppetto qui pêche avec
mélancolie. On se
croirait sous la voûte
d'une cathédrale.
Mais son toit s'élève
et redescend à chaque
respiration de la bête...

Pinocchio et Jiminy ne tardent pas à se faire
avaler par Monstro.
Elle est prise tout à coup d'un énorme
bâillement et ouvre sa gueule démesurément.
Pinocchio, Jiminy et des milliers de poissons
sont aspirés dans un tourbillon.
Ils tournoient dans un gouffre sans fond,
jusqu'au bateau de Geppetto...
— Papa ! hurle Pinocchio. C'est moi !
Ils se jettent dans les bras l'un de l'autre !

Mais Geppetto
remarque bientôt les
oreilles et la queue
de son fils !
— Euh... Je
t'expliquerai... On
va d'abord sortir
d'ici... Il faut que
la baleine ouvre sa
gueule... Faisons
un grand feu !
Ça la fera éternuer.
— Excellent,
Pinocchio !

Avec toute cette fumée, la baleine commence
à s'agiter.

— Tous au radeau ! crie Pinocchio.
L'estomac de Monstro se tord dans tous les
sens. Le lac qui est à l'intérieur se soulève,
rugit : c'est la tempête !

— Accrochez-vous, ça secoue ! dit Geppetto.

— Aaa.... tchoum !
La baleine, dans un raz de marée, recrache
nos amis à l'air libre !

Mais elle continue de tousser,
d'éternuer… Elle n'arrête pas !
Elle fait des sauts hors de l'eau. Et
vlan !… d'un coup de queue, elle
brise le radeau en mille morceaux,
avant de s'enfoncer dans l'eau !

La fin du pantin

Entraînant le vieil homme avec lui, Pinocchio
a nagé jusqu'au bout de ses forces. Mais sitôt
sur le sable, il s'effondre, épuisé. Et quand
Geppetto revient à lui, le pauvre ne peut
le ranimer :
— Mon enfant ! gémit-il.
Hélas ! Le garçon est redevenu un lourd
pantin sans un souffle de vie.

De retour chez lui, Geppetto allonge son fils
sur le lit et s'effondre de chagrin.
Alors, une belle lumière envahit la chambre.
La Fée Bleue apparaît, se penche et effleure
le pantin de sa baguette :
— Réveille-toi, Pinocchio, et deviens un vrai
petit garçon !

Miracle ! Pinocchio s'éveille.

— Mais... mais je rêve ! bredouille le vieil homme, qui le serre dans ses bras.

— Je suis un vrai petit garçon, Papa !

Le criquet les contemple, très ému...

« Maintenant, je ne pourrais plus le traiter d'âne bâté, ni de tête de bois... Oh, et puis de toute façon, il n'a plus besoin de moi... »

Alors, Jiminy reprend sa vraie vie de criquet vagabond, en souhaitant bonne chance au petit garçon...

Édition du Club France Loisirs, Paris,
avec l'autorisation des Éditions Nathan
N° d'ISBN : 2.7242.5228.4
N° d'éditeur : 19696
Dépôt légal : Avril 1991